NOVA TABVLA

Bert Teklenborg
Schwarzwald

Forêt Noire
Black Forest

Salem Edition
im Verlag Moritz Schauenburg

Impressum:

Bert Teklenborg
Schwarzwald
© Copyright 1999 by Salem Edition im
Verlag Moritz Schauenburg, D-77933 Lahr
Redaktion und Gestaltung: Bert Teklenborg
F-traduction: Carine Idé
E-translation: Susan Thérèse Perkins
Gesamtherstellung: Druckhaus Müller,
Langenargen

ISBN 3-9805535-7-4

Inhalt

Schwarzwald

Schwarzwald, das ist eine Landschaft, wie sie G. A. Jung so treffend in seinem Skizzenbuch der Heimat beschreibt:

"Stellt Euch Berge vor, Freunde, Berge, wie schlafende Tiere mit runden Flan-ken und ruhigen Rückenlinien. Viele drängen sich aneinander, als wollten sie sich wär-men im rauhen Nordwind und schützen unter den schwarzen Tannen-pelzen. Aber ein paar trotzige sind auch dabei...- ihre Haut ist wie Leder, von Gletschern geschunden, von Wassern gewaschen, von Winden gegerbt und vom Schnee gebleicht."

Schwarzwald ist aber auch Begegnung mit den alten Kulturlandschaften des Hochrheintals, im Markgräflerland, Breisgau und Ortenau im Süden und Westen, und an Nagold, Neckar und Donau im Norden und Osten. Diese Randgebiete des Schwarzwaldes waren schon früh von Menschen bewohnt; Hügelgräber bei Villingen, Mauersteine unbekannter Herkunft beim Bärenstein im Bühler Höhengebiet, altgermanische Opfersteine bei Bermersbach im Murgtal und zahllose Bodenfunde zeugen von menschlichem Wirken in vor- und frühgeschichtlicher Zeit. Um 500 v. Chr. ließen sich Kelten im Oberrheingebiet nieder; das Innere des Waldgebirges gehörte streifenden Jägern. Aus der Römerzeit stammen u.a. die Reste der Thermalbäder in Baden-Baden und Badenweiler und einige römische Gutshöfe. Eine Militärstraße

Forêt Noire

La Forêt Noire est merveilleusement décrite par G.A. Jung dans son album de croquis:

"Imaginez-vous un paysage avec des montagnes silencieuses aux douces lignes, vous êtes en compagnie de vos amis. Ces montagnes qui se serrent les unes contre les autres comme si elles voulaient se tenir chaud et se protéger, sous la fourrure noire des sapins, contre un vent hostile. Cependant, certaines s'entêtent, leur cara-pace est comme du cuir, écorchée par les gla-ciers, usée par les eaux, érodée par le vent et blanchie par la neige."

La Forêt Noire est aussi une rencontre avec les anciens paysages du Hochrheintal dans les terres du margrave, Breisgau, et Ortenau au sud et à l'ouest, les fleuves Nagold, Neckar et Danube au nord et à l'est. Ces régions limitrophes de la Forêt Noire étaient déjà habitées dans l'ancien temps. On y trouve des caveaux germaniques près de Villingen, des murs de pierres dont la provenance est inconnue à Bärenstein dans la région de Bühl, d'anciens autels de sacrifice près de Bermersbach dans la vallée de Murg, d'innombrables vestiges témoins d'une civilisation humaine des temps très anciens. En 500 avant J.C. les celtes s'installèrent dans la région d'Oberrhein. L'intérieur des forêts appartenaient aux chasseurs. Les vestiges de la station thermale de Baden-Baden et de Badenweiler et ceux de quelques fermes témoignent de la civilisation romaine. Une route militaire traverse la Forêt Noire allant de Strasbourg (Argentoratum) via Offenbourg et au travers de la vallée de Kinzig. Cette route fut la première traversant la Forêt Noire alors difficilement accessible à la circulation.

En l'an 260 après J.C, les Alamans assaillirent le Limes et prirent possession des terres. Depuis cette époque, les peuples alémaniques se concentrent dans les régions supérieures du Rhin, du Neckar et du Danube. Les frontières d'origine se sont étalées du Hagenauer

Black Forest

The Black Forest - this is a landscape as G.A. Jung so aptly describes it in his Reminiscences of Home:

"Just imagine mountains, my friends, mountains like sleeping animals with round flanks and their backs silhouetted gently against the skyline, many of them herding together as if wanting to warm and protect themselves against the biting north wind under their black furry coat - the fir-trees. But there are a few defiant ones among them...- their skin is like leather, toughened by the glaciers, washed by the waters, tanned by the winds and bleached by the snow."

The Black Forest is, however, also an encounter with the old cultural landscapes of the Upper Rhine valley, the margrave country, Breisgau and Ortenau in the south and west, and on the Nagold, Neckar and Danube in the north and east. These regions bordering the Black Forest were inhabited very early by man; grave-mounds near Villingen, wall stones of unknown origin near Bärenstein in the Bühler uplands, Old Germanic stone tables used for sacrificial ceremonies at Bermersbach in the Murg valley and countless excavations witness man's presence during prehistoric and historic times.

Around 500 BC the Celts settled in the region of the Upper Rhine; the interior of the wooded mountains was the domain of roaming hunters. The remains of the hot-spring baths in Baden-Baden, Badenweiler and some Roman estates, amongst other features, originate from Roman times. A military road running from Strasbourg (Argentoratum) via Offenburg along the valley of the River Kinzig, crossing the Black Forest and the wooded hills, which were both difficult and dangerous to access, were penetrated for the first time. In the year 260 AD, the Alamanni invaded the Limes, taking possession of the territory; since this time, folklore originating from the Alamanni is to be found in the regions of the Upper Rhine, upper

von Straßburg (Argentoratum) über Offenburg und durch das Kinzigtal kreuzte den Schwarzwald und durchbrach erstmalig das verkehrsfeindliche Waldgebirge.

Im Jahre 260 n. Chr. stürmten Alemannen den Limes und nahmen das Land in Besitz; seit dieser Zeit ist das alemannische Volkstum im oberen Rheingebiet, im oberen Neckar- und Donauland heimisch. Die Stammesgrenze verlief vom Hagenauer Forst aus südlich des Oostales, über die Höhen des Schwarzwaldes quer durch die Täler von Murg, Enz, Nagold und Würm und erreichte südlich des Aspergs den Neckar. Diese Grenzlinie trennte fränkische und alemannische Bistümer und blieb bis heute weitgehend auch Mundartgrenze. Die Örte mit den Endungen -ingen (alemannisch) und -heim (fränkisch) gelten als die frühesten Siedlungen dieser Zeit des sogenannten ersten Landausbaus. In manchen Teilen des Gebirges wurde die Besiedlung durch die Entdeckung von Erzvorkommen und deren bergmännische Nutzung gefördert.

Die eigentliche Erschließung der Waldlandschaften erfolgte seit dem 10. Jahrhundert u.a. durch Klostergründungen, von denen noch viele, wenn auch als Ruinen, erhalten sind. Zu den erlesensten Bauwerken der Romanik gehören Hirsau, Alpirsbach, Maulbronn und Schwarzach bei Bühl. Auch die Gotik hielt früh ihren Einzug in das aufgeschlossene Gebiet. So ist die Klosterruine Allerheiligen (gegründet 1196) eines der frühesten Beispiele gotischer Baukunst in Deutschland und das gotische Münster in Freiburg eines der schönsten.

Nachdem im 11. Jahrhundert das Herzogtum Schwaben an die Staufer kam, gingen die unterlegenen Zähringer an den Ausbau ihrer Macht im Südwesten. Sie bauten Burgen und Städte, die ihr mittelalterliches Stadtbild mit schönen Bürgerhäusern, alten

Forst au sud de la vallée d'Oos, en passant par les hauteurs de la Forêt Noire au travers des vallées de Murg, Enz, Nagold, et Würm pour enfin atteindre le Neckar au sud de l'Asperg. Cette frontière séparant les évêchés francs et alémaniques reste jusqu'à aujourd'hui une frontière dialectale. Les villages avec les terminaisons en -ingen (alémanique) et en -heim (francs) symbolisent les colonies les plus anciennes du début de la colonisation. Le développement des colonies fut stimulé par la découverte de minerais dans les montagnes, que les hommes exploitèrent.

La véritable exploitation des terres commença au 10e siècle, entre autres, grâce aux fondations de couvents dont nous pouvons admirer les quelques vestiges. Les édifices romans les plus remarquables sont Hirsau, Alpirsbach, Maulbronn et Schwarzach près de Bühl. De même que le style gothique fit son apparition dans cette région. Ainsi les ruines du couvent de Allerheiligen (fondé en 1196) est un des exemples les plus anciens de style gothique en Allemagne. Il en est de même pour la cathédrale de Fribourg qui reste une des plus belles.

Après que le duché de Souabe passa aux mains à la dynastie des Staufer au

Neckar and Danube. The tribal border ran from the forest of Hagenau south of the Oos valley, across the uplands of the Black Forest and through the river valleys of the Murg, Enz, Nagold and Würm, to the Neckar at a point south of Asperg. This border separated the bishoprics of Franconia and Alamannia and to a considerable extent it has also remained the border for the dialect until today. The towns ending in "ingen" (Alamannia) and "heim" (Franconia) are believed to be the earliest settlements during this period of the first cultivation of the country. Settlements in some parts of the mountains were encouraged by the discovery of iron ore deposits and their utilisation in mining.

The actual opening-up of this forested landscape has been taking place since the 10th century, particularly through founding monasteries, many of which are still in existence, even if only as ruins. Amongst the finest Romanesque buildings are Hirsau, Alpirsbach, Maulbronn and Schwarzach near Bühl. Gothic architecture also found its way into the developing region. Thus the monastery ruin of All Saints (founded in 1196) is one of the earliest examples of Gothic architecture in Germany, and the Gothic cathedral in Freiburg one of the most beautiful. After the duchy of Swabia had fallen to the Staufer in the 11th century, the defeated Zähringer began to build up their power in the south west. They built castles and cities which have kept their mediaeval townscape with its splendid residences, old fortifications, and towers, which have survived until today, e.g. in Ettlingen, Dornstetten, Forbach in the Murg Valley, Calw, Horb, Rottweil, Schiltach and Villingen.

When the country in the south-west of Germany was divided up in the 15th to the 17th century, Habsburg united the various territories to form so-called Upper Austria, under the control of Tirol. Not until Napoleon I did a cer-

Befestigungen, Wehrgängen und Türmen bis heute erhalten haben, u.a. in Calw, Dornstetten, Ettlingen, Horb, Rottweil, Schiltach und Villingen. Bei den Länderteilungen des 15.-17. Jh. im Südwesten Deutschlands hatte Habsburg das sogenannte Vorderösterreich unter der Führung Tirols zu einem Teilfürstentum vereinigt. Erst unter Napoleon I. erfolgte eine politische Flurbereinigung; viele kleine Herrschaften fielen an Baden, das zum Großherzogtum erhoben wurde.

Aus früher Zeit stammen die meisten Schwarzwälder Trachten, aus kostbaren, farbenreichen Stoffen gefertigt und mit Gold- und Silberstickereien reich geschmückt, die noch heute an Sonn- und Festtagen getragen werden. Zur Gutacher Tracht mit dem typischen Bollenhut (in der ganzen Welt das Symbol für den Schwarzwald) gehören ein Mieder aus geblümtem Samt, ein schwarzer Rock und weitbauschige Hemdärmel. Ein perlenbestickter Koller, farbige Strümpfe, ein rotgefüttertes Jäckchen und eine Schürze ergänzen die Tracht. In St. Georgen ist die malerische Schäppelkrone zu Hause, ein mit bunten Glasperlen und Spiegelchen reich besetzter Kopfputz. Die Renchtaler Bauern zeigen sich an den Festtagen in schwarzem Rock, roter Weste und breitkrempigem Hut, während ihre Frauen Hauben mit Gazeschleier oder Kapotthütchen tragen. Noch älteren Ursprungs ist die alemannische Fastnacht oder Fasnet, die in vielen Gebieten des Schwarzwalds, wie etwa in Rottweil und Oberndorf, in Villingen, Elzach und Wolfach, als ein wahres Volksfest mit verschiedenen Masken und Bräuchen gefeiert wird.

Die Herstellung der weltberühmten Schwarzwälder Kuckucksuhren geht auf das 17. Jh. zurück, als Glasträger aus der Fremde Holzuhren heimbrachten, die bald verbreitete Nachahmung fanden. Und auch die Schwarzwaldhäuser haben ihren eigenen Stil; auf niedrigem Steinsockel erhebt sich ein Holzbau mit

11e siècle, les Zähringer vaincus étendirent leur pouvoir jusqu'au sud-ouest. Ils construisirent des forteresses et des villes qui ont conservés leur aspect moyenâgeux comme en témoignent les belles maisons bourgeoises, les anciennes fortifications, les chemins de rondes, et les tours: Calw, Dornstetten, Ettlingen, Horb, Rottweil, Schiltach, et Villigen. Les Habsbourg, lors des divisions des terres du sud-ouest de l'Allemagne du 15e au 17 e siècle réunirent les régions du "Vorderösterreich" et du Tirol (sous contrôle tirolien) qui devinrent partie de la principauté. Seulement sous Napoléon I fut pratiquée une politique de remembrement; beaucoup de petits domaines furent rattachés au pays de Bade qui fut ensuite élevé au rang de grand-duché.

Les costumes folkloriques de la Forêt Noire prennent leurs origines dans les temps anciens. Ils sont confectionnés dans des tissus raffinés aux belles couleurs puis travaillés à la dentelle dorée et argentée. Ces tenues sont encore portées le dimanche et les jours de fêtes. Le costume du nom de Gutacher Tracht se porte avec les typiques coiffes traditionnelles avec des pompons (symbole de la Forêt Noire mondialement connu), un corset de velours à fleurs, une jupe noire, et un chemisier à manches bouffantes. Un collet de perles, des collants de couleurs, une veste doublée de rouge et un tablier terminent la tenue. La pittoresque parure "Schäppelkrone" est de mise à St. Georgen. Elle se compose de perles de verres colorées, de petits miroirs et forme un ensemble que l'on se met sur la tête. Les jours de fêtes, les paysans de la vallée de Rench portent un costume composé d'une jupe noire, d'une veste rouge et d'un chapeau à large rebord, alors que leurs femmes portent des coiffes telles que des voiles de gaze ou des chapeaux. Plus anciens encore sont le Fastnacht ou le Fasnet, une véritable fête populaire ou les gens portent des masques et se prêtent à des coutumes diverses et variés. Dans un grand nombre de régions de la Forêt Noire, les

tain political consolidation take place, with many smaller territories falling to Baden, which was elevated to a grand duchy. Most of the national costumes tailored from valuable, brightly-coloured textiles originate from early times. They are elaborately decorated with gold and silver embroidery and are still worn today on Sundays and festive occasions. The typical Bollenhut, a bonnet with a pompon on the top - a well-known symbol all over the world for the Black Forest - is part of the national costume in Gutach, worn with a velvet bodice with woven flower-pattern, a black skirt and wide, puffed sleeves. A collar embroidered in pearls, coloured stockings, a red-lined jacket and apron complete the costume.

In St. Georgen one can find the exquisite Schäppelkrone, a piece of richly adorned head-wear with brightly coloured glass beads and little mirror-like insets. The farmers in Renchtal dress up on festive occasions in a black jacket, red waistcoat and a broad-brimmed hat whilst the ladies wear bonnets with a veil. The Alamannic Fastnacht or so-called "Fasnet" (carnival) is of even earlier origin and is celebrated in many regions of the Black Forest as a genuine national festival, wearing different masks and celebrating different customs, e.g. in Rottweil and Oberndorf, Villingen, Elzach and Wolfach.

zahlreichen kleinen Fenstern unter einem mächtigen, zum Schutz gegen die Witterung nach allen Seiten weit vorspringenden Schindeldach. Wohn- und Wirtschaftsräume, Ställe und Scheune sind darunter vereinigt, um das obere Stockwerk läuft meist eine offene Holzgalerie. In den niederen, holzverkleideten Wohnräumen im Erdgeschoß befindet sich der riesige Kachelofen, darum die Ofenbank. Fast nie fehlt der Herrgottswinkel, eine Zimmerecke, in der das mit Blumen geschmückte Kruzifix hängt. Einen guten Überblick über die Entwicklung dieser Hausform bietet das Freilichtmuseum Vogtsbauernhof bei Gutach.

Am Beginn unserer Schwarzwaldfahrt steht Freiburg und sein Hausberg, der Schauinsland. Dort oben, beim Ausblick auf höchste Schwarzwaldgipfel, schlagen wir noch einmal G. A. Jung's Skizzenbuch der Heimat auf:

"Laß dir die Feldbergluft um die Nase wehen; die Luft, die so herrlich herb nach Freiheit schmeckt, nach Weite und Wildsein. Laß deinen Blick hinausfliegen über das Gewog der Berge, Tannen und Täler bis zu den verschwimmenden Horizonten. Dort sind an hellen Tagen die Alpen in den Himmel hineingezackt wie silbergetürmte Städte. Dort siehst du die Rücken der Juraberge und der Vogesen auf der Nebelmatte weiden. Wo du schaust ist Vielfalt und Vielgestalt und doch unbegreifliche Harmonie."

villes de Rottweil, Oberndorf, Villingen, Elzach, et Wolfach fêtent intensivement cette période.

L'origine de la fabrication des coucous de la Forêt Noire remonte au 17e siècle lorsque les porteurs de verre ramenaient des horloges en bois de leurs voyages, horloges qui furent très rapidement copiées. De même que les maisons de la Forêt Noire ont leur style propre. Ces maisons en bois aux multiples petites fenêtres se construisent sur des socles bas faits de cailloux, le tout recouvert d'un toit de bardeaux en avancée profonde, cela afin de se protéger de tous côtés contre les intempéries. On y trouve les pièces d'habitation, les étables, les granges et une galerie en bois à l'étage supérieur. Au rez-de-chaussée, les pièces en bois sont basses et renferment un immense Kachelofen (poêle en faïence) autour duquel se trouvent des banquettes confortables. On ne manque jamais d'aménager le Herrgottswinkel, un coin de pièce dans lequel un bouquet de fleurs orne le crucifix. Le village reconstitué de Vogtsbauernhof à Gutach permet de se familiariser avec la riche culture de la Forêt Noire.

Fribourg et sa montagne Schauinsland se trouvent au début de notre parcours. De là haut nous profitons de la vue que nous offrent les sommets de la Forêt Noire et ouvrons l'album de croquis de G.A Jung:

"Respire l'air pure de la Feldberg, cet air sec et délicieux insuffle une bouffée de liberté, un souffle d'envergure et une envie de revenir à l'état sauvage Laisse ton regard glisser au lointain sur les massifs bienveillants, les sapins et les vallées jusqu'au pâle horizon. Lorsque les journées sont claires, les Alpes se détachent en dentelle sur le ciel, comme un amoncellement de villages aux couleurs argentées. De là, tu peux admirer les crêtes des sommets jurassiens et vosgiens serti d'un ruban de brouillard. Ton regard ne rencontre que diversité et formes variées, cependant règne harmonie inconcevable."

The production of the Black Forest cuckoo clocks that are well-known all over world dates back to the 17th century, when glass traders brought wooden clocks back home from distant lands; their imitation soon became widespread.

The houses in the Black Forest have their own characteristic style; built on a low stone foundation, a timber construction with numerous little windows under an enormous shingle roof with long, over-hanging eaves as protection from the weather on all sides. The living and working quarters, stalls and barn are incorporated underneath whereby the upper floor is mostly designed with an open wooden gallery encircling it. In the lower living quarters on the ground floor, with their wooden panelling, there is a huge tiled stove with a bench round it. The so-called "Herrgottswinkel" is seldom missing, that is to say, a corner of the room dedicated to Christ, where a crucifix hangs decorated with flowers. The open-air museum of Vogtsbauernhof in Gutach provides a good impression of the development of this particular type of house.

At the beginning of our journey through the Black Forest we visit Freiburg and its mountain scenery located behind - the Schauinsland. From the summit, viewing the highest point of the Black Forest, we once again open G.A.Jung's "Reminiscences of Home":

"Let the Feldberg air blow around your nose; breathe in the air which smells so beautifully fragrant of freedom, open expanse, wildness. Glance out over the crest of the mountains to the fir-trees and valleys and beyond to the horizons fading into the distance. On clear days the Alps can be seen jutting into the sky like silver-towered cities. There you can see the silhouetted backs of the Jura and Vosges mountains as they graze on a meadow of gentle haze. Wherever you cast your eye there is abundance and diversity but yet an astounding harmony."

Breisgau und Markgräfler Land

Der Breisgau erstreckt sich zwischen der Ortenau im Norden, dem Schwarzwald im Osten, dem Markgräfler Land im Süden und dem Rhein im Westen; sein Hauptort ist Freiburg. Aus der Siedlung um Fischerau und Gerberau wurde im 11. Jh. die »Freie Burg« der Herzöge von Zähringen. Im Jahr 1368 begab sich Freiburg freiwillig unter die Oberhoheit des Hauses Habsburg und war nach dem Dreißigjährigen Krieg auch die Hauptstadt Vorderösterreichs. 1457 wurde die Freiburger Universität gegründet; 1498 hielt Kaiser Maximilian I. in Freiburg einen Reichstag ab. 1525 wurde die Stadt von aufständischen Bauern geplündert, im Dreißigjährigen Krieg von Schweden, Bayern und Franzosen mehrmals erobert. In der Folgezeit gehörte Freiburg mal zu Frankreich, mal zu Österreich, und ab 1677 baute Marschall Vauban die Stadt zu einer starken französischen Festung aus. Mit der Entstehung des Rheinbundes unter Napoleon kam Freiburg in den Besitz des Großherzogtums Baden.

Im Zentrum der Altstadt, vor der Kulisse des Schloßbergs (hier stand die erste Zähringerburg von 1091), erhebt sich das Münster U. L. Frau, im 13. Jh. aus rotem Sandstein erbaut. Der Turm, 116 m hoch mit durchbrochener Helmpyramide, *der schönste Turm der Christenheit*, wurde 1320 vollendet. Neben dem

Breisgau et le pays du Margrave

La région de Breisgau s'étend de l'Ortenau au nord au pays du Margrave au sud, de la Forêt Noire à l'est, et enfin au Rhin à l'ouest. La ville principale est Fribourg. Au 11 e siècle, les colonies de Fischerau et Gerberau prirent le nom de "Freie Burg" (forteresse libre) appartenant à la maison Zähringen. En 1368, Fribourg se remit volontairement sous la suzeraineté de la maison des Habsbourg et devint après la guerre de 30 ans la ville principale de la région du Vorderösterreich. L'université de Fribourg a été fondée en 1457. En 1498, l'empereur Maximilien 1er siégea au Reichstag de Fribourg. En 1525 la ville fut pillée par des paysans révoltés. Tout au long de la guerre de 30 ans, la ville fut plusieurs fois conquise par les suédois, les

Freiburger Münster

Breisgau and Markgräfler Land

Breisgau stetches from the Ortenau region in the north, the Black Forest in the east, the margravate in the south and the Rhine in the west. The main town in this region is Freiburg. The settlement around Fischerau and Gerberau developed to become the "free castle" of the dukes of Zähringen in the 11th century. In 1368 Freiburg surrendered voluntarily to the sovereignty of the Habsburg family and after the Thirty Years' War also became the main city of Upper Austria. In 1457 Freiburg University was founded; in 1498, Emperor Maximilian I held an assembly in Freiburg. In 1525 the city was plundered during a peasants' revolt and in the Thirty Years' War, was conquered several times by Sweden, Bavaria and the

Münster steht das Kaufhaus, 1532 im Renaissancestil erbaut, an der Front Standbilder der Habsburger. Ein Rundgang durch die Stadt führt zum Alten Rathaus mit der dahinter liegenden Gerichtslaube, dem ältesten Rathaus der Stadt aus dem 13. Jh., in dem 1498 der Reichstag unter Kaiser Maximilian tagte. Martinstor und Schwabentor, beide um 1200 erbaut, sind gut erhaltene Bauwerke der mittelalterlichen Stadtbefestigung. Zur Freiburger Altstadt gehören die in den engen Gassen fließenden Bächle; bereits im Mittelalter angelegt, lieferten sie bei Bränden das Löschwasser.

Wir folgen der Dreisam Richtung Höllental; die steilen Felswände beim Hirschsprung bilden das Tor zu einem der eindrucksvollsten Täler des südlichen Schwarzwaldes. Bei Oberried beginnt der Aufstieg und über Hofsgrund kommen wir zum Schauinsland, dem 1284 m hohen Freiburger Hausberg, wohin von Günterstal auch eine Seilbahn führt. Wir genießen das einmalige Panorama, bevor wir durchs liebliche Münstertal hinunter nach Staufen fahren. Der Ort wurde im Jahr 770 erstmals urkundlich, 1337 als Stadt genannt. Reizvolles Stadtbild mit schönen Giebelhäusern und Brunnen; im historischen Gasthaus zum Löwen starb um 1537 der weltberühmte Dr. Faustus. Weiter geht es nach Badenweiler; die im 12 Jh. dort ansässigen Dienstmannen der Zähringer nannten sich Herren von Baden, das Schloß wurde zur großherzoglichen Residenz. In Anlehnung an römische Vorbilder (im 1. Jh., unter Kaiser Vespasian, stand hier ein Römerbad) wurde 1874 das Markgrafenbad erbaut;

bavarois et les français. Par la suite, Fribourg fut, en alternance, sous domination française et autrichienne. Mais, à partir de 1677, le maréchal Vauban acheva de transformer la ville en solide forteresse sous domination française. Avec la naissance de la Confédération du Rhin sous Napoléon, Fribourg rentra dans le grand-duché de Bade.

Au centre de la vieille ville, devant le panorama du Schloßberg (lieu où se dressait en 1091 le premier fort de la dynastie des Zähringen), s'élève la cathédrale Unsere Liebe Frau (Notre Chère Dame), en grès, édifiée au 13 e siècle. La tour de 116 mètres de haut et surmontée d'une coupole pyramidale, fut achevée en 1320. On parle de *la plus belle tour de la chrétienté*. A côté de la cathédrale se trouve la Kaufhaus, construite en 1532 de style renaissance, flanquée de grandes statues d'empereurs rappelant la souveraineté des Habsbourg. Une promenade à l'intérieur de la ville nous mène à la mairie avec à l'arrière plan la Gerichtslaube, la plus ancienne mairie de la ville datant du 13e siècle, dans laquelle l'empereur Maximilien 1er délibéra au Reichstag. La porte Martin et la porte Souabe, toutes deux édifiées vers 1200, sont des oeuvres bien conservées provenant de la fortification moyenâgeuse. La vieille ville renferme aussi des ruelles étroites au milieu desquelles coulent des ruisselets. Ces ruisselets ont été tracés au Moyen Âge et servaient à éteindre les incendies.

Nous suivons le fleuve Dreisam vers la Höllental (vallée de l'enfer); les parois rocheuses et raides vers le Hirschsprung s'ouvrent sur l'une des vallées les plus impressionnantes du sud de la Forêt Noire Notre ascension commence vers Oberried, au delà du Hofgrund, nous arrivons au Schauinsland, 1281m, d'où les fribourgeois aiment profiter du paysage. De la vallée de Günter monte un téléphérique. Nous admirons cette vue magnifique avant d'atteindre Staufen en passant par la douce vallée de Münster. Staufen remonterait à l'an 770 et reçut le statut de ville en 1337. Images d'une ville pleines d'attraits avec ses maisons à pignon et ces fontaines. Dans l'hôtel historique mourut le célèbre

French. During the following period Freiburg belonged to France, then to Austria, and from 1677 Marshall Vauban built the city up into a strong French fortification. When the confederation of the Rhine was formed under Napoleon, Freiburg became part of the Grand Duchy of Baden.

In the centre of the old part of the town, at the foot of the Schlossberg Mountain, where the first Zähringer castle stood (1091), we now visit the Freiburg Münster (cathedral), which was built of red sand-stone in the 13th century. The tower, 116 m high with its open work stone spire, *the most beautiful spire in Christendom*, was completed in 1320. The "Kaufhaus" stands next to the cathedral and was built in 1532 in Renaissance style with statues of the Habsburgs in the foreground. A tour through the town takes us to the old city hall, with the court building behind, which was the former city hall of the town dating back to the 13th century, in which the assembly was held under Emperor Maximilian. The Martinstor and Schwabentor gates, both built in 1200, are well-preserved structures of the mediaeval fortifications of the city. The rippling streams in the narrow alley-ways are characteristic features of Freiburg's old part of the town; as far back as the Middle Ages they were the source of the water used for putting out fires.

We follow the Dreisam in the direction of the Höllental valley; the steep rocky faces of the valley walls at the "Hirschsprung" (the stag's leap) form the gateway to one of the most impressive valleys of the southern Black Forest. At Oberried the ascent begins and via Hofsgrund we arrive at the Schauinsland, the 1284 m high mountain close to Freiburg; it also has a cable car connection from Günterstal. We enjoy the unique panorama before we drive down to Staufen through the picturesque Mun-stertal Valley. This location was first documented in 770 and became a city in 1337. A charming townscape with beautiful gabled houses and fountains; in the historical "Gasthaus zum Löwen" the world-famous Doctor Faustus died in 1537. Further on we arrive at Ba-

im Kurpark prachtvolle alte Bäume und subtropische Gewächse, darunter Libanonzedern, Sumpfzypressen, Lorbeer und eindrucksvolle Mammutbäume.

Von den Weinbergen des Markgräflerlandes ins Rebland des Kaiserstuhl, einem vulkanischen Gebirge, das sich wie eine Insel aus der Oberrheinebene erhebt; auf seiner Westseite liegt die Stadt Breisach. Ausgrabungen auf dem Münsterberg berichten von einer keltischen Siedlung und die Römer unter Kaiser Valentinian befestigten im 4. Jh. den Mons Brisiacus als Brückenkopf. Das Stadtbild von Breisach bietet einen malerischen Anblick. Auf einem am Rheinufer emporragenden Basaltfelsen erhebt sich das St. Stephans-Münster mit zwei Türmen als Wahrzeichen der Stadt. Um das Münster, an den Abhängen des Münsterbergs und des benachbarten Schloßberges, gruppieren sich die Häuser der einst berühmten und viel umstrittenen Grenzstadt, die dem Breisgau den Namen gab.

Wir fahren am Nordrand des Kaiserstuhls entlang nach Emmendingen; der Hauptort der Markgrafschaft Hachberg wurde im Jahr 1094 erstmals genannt, 1581 von Mauern umschlossen, und erhielt 1590 Stadtrecht. Der ehemalige Hof des Klosters Tennenbach wurde 1588 zum Markgrafenschloß umgebaut; charakteristisch ist sein achteckiger Treppenturm mit Fachwerkaufsatz und Zwiebeldach. Unsere Breisgau-Rundreise endet im Glottertal; dieses liebliche Tal, im Nordosten vom Kandel und vom Flaunser im Südwesten umgeben, ist weitbekannt durch seinen Weinanbau. Der Glottertäler Spätburgunder Weißherbst lockt Gäste von nah und fern in die malerischen Gasthöfe.

Dr.Faustus. Plus loin, nous atteignons Badenweiler où au 12 e siècle les représentants locaux de la dynastie des Zähringen se déclarèrent "Maîtres de Bade". La forteresse devint une résidence grande - ducale. Les bains du margrave furent construits selon le modèle romain, (au 1e siècle, sous l'empereur Vespasien des bains romains se dressaient à cet endroit). Dans le parc thermal on trouve des arbres centenaires superbes et des végétaux subtropicaux tels que des cèdres du Liban, des cyprès de marais, des lauriers ainsi que d'admirables séquoias.

Nous parcourons les vignobles du margrave au Rebland du Kaiserstuhl, chaîne de montagnes volcaniques qui s'élève telle une île à la hauteur du Oberrhein; à l'ouest se trouve la ville de Brisach. Des fouilles dans le mont de Münster révèlent le passage d'une colonie celtique que les romains, sous l'empereur Valentinien, fortifièrent au 4 e siècle, ainsi le Mons Brisiacus devint une tête de pont. Brisach offre l'image d'une ville pittoresque. La cathédrale St. Stephan s'élève au sommet de la parois de basalte sur le rivage du Rhin, elle est planquée de deux tours, emblème de la ville. Autour de la cathédrale, sur les versants du Münsterberg et du Schloßberg, se regroupent des maisons, formant une ville qui d'abord fut célèbre puis disputée car elle était en zone frontalière. Cette ville donna son nom à la région.

Nous poursuivons notre route le long de la limite nord du Kaiserstuhl vers Emmendingen; ce lieu, ville principale du margraviat de Hachberg, fut mentionné pour la première fois en l'an 1094. Il fut entouré d'un mur d'enceinte en 1581 et reçut le statut de ville en 1590. L'ancienne cour du couvent des Tennenbach a été transformée en 1588 en forteresse du margrave. La tour octogonale est caractéristique avec des ornements en colombage et un clocher à bulbe. Notre circuit dans la région du Breisgau se termine dans la douce vallée du Glotter: entourée au nord-est par le Kandel et au sud-ouest par le Flaunser. Vallée célèbre pour ses vignobles. Le cépage «Spätburgunder Weißherbst» local attire les visiteurs qui viennent le déguster dans les restaurants pittoresques.

denweiler; the vassals of the Zähringer called themselves "The Gentlemen of Baden" and the castle became the residence of the grand duke. Imitating the Roman model (a Roman bath stood here in the 1st century during the rule of the Roman Emperor Vespasian) the margrave bath (Markgrafenbad) was built here; in the park of this spa splendid old trees and subtropical plants, such as the Lebanon cedars, swamp-cypresses, laurel trees and impressive mammoth trees.

From the vineyards of the margravate to the vine-planted slopes of the Kaiserstuhl, a volcanic mountainous region that rises like an island out of the Upper Rhine Valley. On its west flank lies the town of Breisach. Excavations on the Münsterberg witness a Celtic settlement and in the 4th century, the Romans reinforced the Mons Brisiacus as a bridgehead under Emperor Valentinian. The townscape of Breisach offers a picturesque sight. On a rock towering up on the bank of the Rhine is the cathedral of St. Stephan's with its two towers as landmarks of the town. Around the cathedral on the slopes of the Münsterberg and neighbouring Schlossberg, one can see the houses nestling together in groups of this once very famous and much contested border town, which gave Breisgau its name.

We are now driving along the northern flank of the Kaiserstuhl to Emmendingen; the main town in the margravate Hachberg, was first mentioned in 1094. It was surrounded by walls in 1581 and granted the freedom of the city in 1590. The former courtyard of the Tennenbach monastery was converted to a margrave residence in 1588; particularly characteristic is its octagonal tower with a spiral staircase, the half-timbered upper section and onion dome. Our round trip through Breisgau finishes in the Glottertal Valley; this gently undulating landscape, surrounded by the Kandel mountains in the north-west and Flaunser mountains in the southwest, is very well-known for its viniculture. The burgundy wine which is grown here in the Glottertal Valley, lures guests from far and near to its quaint restaurants.

Freiburg-Kaufhaus

Freiburg-Rathaus

13

Schauinslandbahn

St. Trudpert im Münstertal

Staufen

St. Ulrich

Bad Krozingen

Badenweiler

Emmendingen

Land zwischen Oberrhein und Schwarzwaldhöhen

Unsere Fahrt führt ins schöne Elztal nach Waldkirch. Die Anfänge der Siedlung gehen auf das 918 gegründete Frauenkloster St. Margaretha zurück. Waldkirch wurde nach Zähringer Muster angelegt und erhielt im Jahr 1300 Stadtrecht.

Waldkirch

Ruine Kastelburg, um 1250 von den Schwarzenbergern erbaut, gilt als Musterbeispiel einer mittelalterlichen Burganlage. Über Freiamt geht es nach Lahr; um 1220 legten die Herren von Geroldseck an der Straße vom Elsaß ins Kinzigtal eine Tiefburg an, 1259 entstanden Kloster und Spital, und 1278 wurden dem Ort die Stadtrechte verliehen. Von 1527 bis 1803 war Lahr nassauisch. Einziger Rest der mittelalterlichen Wasserburg ist der Storchenturm in der Marktstraße; im Eckturm der 1677 zerstörten Burg das Geroldsecker Museum. Zur Geschichte Lahrs gehört der weltbekannte Volkskalender des *Lahrer Hinkenden Boten,* der in diesem Jahr seinen zweihundertsten Geburtstag feiert.

An der Burgruine Hohengeroldseck vorbei kommen wir ins Kinzigtal. Aus einer frühen fränkischen Gründung entstand das Reichsstift Gengenbach. Der Ort mit gut erhaltenem historischem Stadtbild erhielt 1231 Stadtrecht und war von 1366 bis 1803 Freie Reichsstadt. Die Stadtkirche im Hirsauer Stil, Teil der 1803 säkularisierten Benediktinerabtei,

Région entre Oberrhein et Forêt Noir

Notre route nous conduit dans la belle vallée d'Elz vers Waldkirch. L'origine de la colonisation remonte à la fondation du couvent pour femmes Ste Marguerite en 918. Waldkirch a été construit selon le modèle des Zähringen et reçut le statut de ville en 1300. La forteresse de Kastel fut construite vers 1250 par la dynastie des Schwarzenberg, et fut considérée comme une construction médiévale de référence En passant par Freiamt nous nous dirigeons vers Lahr. Vers 1220, les Maîtres de Geroldseck construisirent une forteresse sur la route allant de l'Alsace à la vallée de Kinzig, le couvent et l'hôpital virent le jour en 1259. En 1278, ce lieu reçut le statut de ville. De 1527 à 1803, la ville de Lahr fit partie de la région de Nassau. Les plus beaux vestiges de cette forteresse moyenâgeuse, détruite en 1677, sont la Storchenturm dans la Marktstraße et la Eckturm dans laquelle se trouve le musée Geroldsecker. L'histoire de la ville de Lahr nous offre aussi le traditionnel *Lahrer Hinkenden Boten.* Il s'agit d'un calendrier historique ayant pour rôle de rassembler les informations en tout genre sous forme de livre, afin de faire parvenir les nouvelles dans les campagnes et les fermes. Ce calendrier fête ses deux cents ans cette année.

Nous arrivons dans la vallée de Kinzig en passant devant les ruines de la forteresse de Hohengeroldseck. La ville de Gengenbach tire ses origines d'un couvent franconien Ce lieu dont la physionomie historique est encore bien conservée reçut le statut de ville en 1231 et fut de 1366 à 1803 ville libre. L'église a été construite dans la première moitié du 12e siècle et a appartenu à l'abbaye bénédictine, sécularisée en 1803. La mairie date de 1784 et se trouve sur la Marktplatz au centre de laquelle se dresse la Marktbrunnen (La fontaine du marché). Le Steinerne Ritter (le chevalier de pierre) symbolise l'indépendance de la ville. On peut découvrir aussi les restes des fortifications (Obertor, Schwedenturm, Prälatenturm, Kinzigtor) ainsi que les superbes façades à colombages des vieilles maisons bourgeoises. La

Between Upper Rhine and Black Forest Uplands

Our journey now takes us into the beautiful Elztal Valley to Waldkirch. The origins of the settlement here date back to the nunnery of St. Margaretha, founded in 918. Waldkirch was planned on the Zähringer model and granted the freedom of the city in 1300. The ruin of Kastelburg, built by the Schwarzenbergs around 1250, is considered as a prime example of a mediaeval fortification. Via Freiamt we travel on to Lahr; around 1220 the so-called "Gentlemen of Geroldseck" built a castle on the road from Alsace in the direction of Kinzigtal; a monastery and a hospital were built here in 1259, and in 1278 the freedom of the city was then granted. From 1527 to 1803 Lahr belonged to Nassau. The only remains of this mediaeval castle is the Storchenturm (stork tower) in the Marktstrasse; the Geroldsecker Museum is housed in the corner tower of the castle, the rest of which was destroyed in 1677. The Historical Calendar, *the Lahrer Hinkender Bote,* which is well-known all over the world, belongs to Lahr's history and will be celebrating its 200th anniversary this year.

Leaving the castle ruin of Hohengeroldseck behind us, we enter the valley of the River Kinzig. Gengenbach originated from an earlier Franconian settlement. It has a well-preserved historic townscape. Gengenbach was given the status of a city in 1231 and from 1366 to 1803 it was a free imperial city. The town church, built in the architectural style of Hirsau, is a part of the secularised Benedictine monastery built in the first half of the 12th century. The city hall of 1784 is situated on the market place with its fountain and Knight of stone, symbolising its being subject to the Emperor alone. Remains of the fortification towers and charming half-timbered facades of old residential houses can be seen here. The location of the neighbouring town of Offenburg, not very far away from Strasbourg, already gave rise to the town becoming an important trading junction in Roman times.

wurde in der ersten Hälfte des 12. Jh. erbaut. Rathaus von 1784 am Marktplatz mit dem Marktbrunnen; der Steinerne Ritter ist das Symbol für die Reichsunmittelbarkeit. Reste der Stadtbefestigung (Obertor, Schwedenturm, Prälatenturm, Kinzigtor) und reizvolle Fachwerkfassaden alter Bürgerhäuser. Die Lage der Nachbarstadt Offenburg unweit von Straßburg machte den Ort schon zur Römerzeit zu einem bedeutenden Verkehrsknotenpunkt. Der Name *Offinburc* wurde erstmals 1101 in einer Urkunde genannt. Im Jahr 1240 von Kaiser Friedrich II. zur Freien Reichsstadt erhoben, gehörte sie später zeitweise den badischen Markgrafen, den Straßburger Bischöfen, den pfälzischen Kurfürsten und den Fürstenbergern. 1803 verlor Offenburg die Reichsunmittelbarkeit und fiel an das Großherzogtum Baden. Königshof von 1717 und barockes Rathaus sowie sehenswerte Bürgerhäuser aus dem 17. und 18. Jh. rings um den Alten Marktplatz.

Wir kommen nach Oberkirch; die zum Schutz des Kniebispasses angelegte Schauenburg galt als eine der mächtigsten Burgen in Mittelbaden; ursprünglich zähringischer Besitz, war sie Sitz der von Herzog Welf VI. verstoßenen Uta von Schauenburg. Oberkirch wurde 1229 erstmals urkundlich erwähnt und erhielt 1326 Stadtrecht. Von 1303-1803 gehörte sie zum Hochstift Straßburg, seitdem zu Baden. Von 1650-1667 lebte hier Jakob Christoph von Grimmelshausen als Burgvogt; in dieser Zeit begann er seinen großen Roman Simplicius Simplicissimus. Malerisches, mittelalterliches Ortsbild mit schönen Fachwerkhäusern. Wir fahren durch einen großen Obst- und Weingarten, Goldener Grund genannt, nach Achern. 1050 erstmals genannt, gehörte der Ort zur zähringischen Ortenau und teilte deren politisches Schicksal. 1808 erfolgte die Erhebung zur Stadt durch den badischen Großherzog Karl Friedrich. Sehenswerte gotische St. Nikolaus-Kapelle mit Rundturm, um 1300 aus Wackensteinen erbaut, ältestes Bauwerk und Wahrzeichen der Stadt.

Auf der Bad. Weinstraße geht es über das mittelalterliche Sasbachwalden nach

situation géographique de Offenbourg (ville voisine) non loin de Strasbourg en fit un carrefour d'échanges importants au temps des romains. Le nom de *Offinburc* fut cité pour la première fois dans un ouvrage en 1101. En 1240, l'empereur Frédéric II éleva la ville au rang de ville libre. Plus tard, elle appartint, entre autres, au Margrave de Bade, aux évêques de Strasbourg, aux électeurs du Palatinat et enfin à la dynastie des Fürstenberg. Offenbourg perdit son statut d'indépendance et devint territoire du grand-duché de Bade. A partir de 1717 elle reçut le titre de ville libre. On peut y voir la mairie de style baroque ainsi que de superbes maisons bourgeoises du 17e et 18e siècle tout autour de la Marktplatz.

Nous arrivons à Oberkirch; La forteresse Schauenburg implantée pour protéger le col de Kniebis fut une des forteresses les plus puissantes du Bade Moyen. La ville Oberkirch fut citée pour la première fois en 1229 et reçut le statut de ville en 1326. De 1303 à 1803, Oberkirch appartenait au couvent de Strasbourg et ensuite à la région de Bade. Jakob Christoph von Grimmelshausen y vécut de 1650 à 1667 comme intendant de château. Ce fut à cette époque qu'il commença son long roman Simplicius Simpli-cissimus. Clichés pittoresques et moyenâgeux du village avec de belles maisons à colombages. Nous poursuivons notre route en direction de Achern. en passant par un immense verger et un vignoble du nom de Goldener Grund. Ce lieu de Achern fut cité pour la première fois en 1050 et appartint à Ortenau (territoire des Zähringen) dont il partagea le destin politique. Le statut de ville fut proclamé en 1808 par le grand-duc Karl Friedrich. Vous pourrez admirer la chapelle gothique St Nikolaus avec sa tour ronde construite en roches arrondies (lors de leur passage dans le fleuve Acher) vers 1300 qui est l'édifice le plus ancien ainsi que l'emblème de la ville.

Par la route badoise des vins (Weinstraße), nous continuons par la ville moyenâgeuse de Sasbachwalden vers Bühl. A l'emplacement de la mairie se trouvaient des fortifications romaines. Bühl fut citée pour la première fois en 1283 comme ville

The name of *Offinburc* was first mentioned in a document dating back to 1101. Elevated to a free imperial city by Emperor Friedrich II in the year 1240, it later belonged for a while to the Margrave of Baden, the bishops of Strasbourg, the electorates of the Palatinate and the Fürstenbergs. In 1803 Offenburg was no longer subject to the emperor alone and fell to the Grand Duchy of Baden. The royal palace of 1717, the baroque town hall and the houses dating back to the 17th and 18th centuries around the old market place are well-worth seeing. We arrive at Oberkirch; Schauenburg castle, which was built to protect the Kniebis Pass, was considered as one of the most powerful fortifications in central Baden; originally in the possession of the Zähringer, it was the home of Uta von Schauenburg who was repudiated by Duke Welf VI. Oberkirch was documented for the first time in 1229 and granted the freedom of the city in 1326. From 1303-1803 it belonged to the Bishop of Strasbourg, and since that time to Baden. From 1650-1667 Jakob Christoph von Grimmelshausen lived here as a castellan; during this time he began to write his famous novel Simplicius Simplicissimus.

Now leaving this picturesque, mediaeval townscape with its beautiful half-timbered houses, we drive on to Achern through the so-called "golden soil" (Goldener Grund) with its vast orchards

Bühl. Am Platz des heutigen Rathauses stand früher ein Römerkastell. Bühl wird erstmals 1283 genannt als Windeckischer Hauptsitz. 1387 verkaufte Graf Wolf von Eberstein den nördlich der Bühlot gelegenen Teil des Dorfes an den Markgraf von Baden; damit war Bühl in eine badische und eine windeckische Hälfte geteilt und bis 1860 gab es für jeden Teil ein eigenes Amt. Durch das Bühlertal auf die Bühler Höhe und weiter zum Mummelsee (1029 m); der Name kommt von den Nixen, die der Sage nach den See bewohnen. Auf dem Schwarzwald-Westweg zur Hornisgrinde, mit 1164 m Höhe der höchste Gipfel im Nördlichen Schwarzwald; hier bietet sich eine wunderbare Fernsicht bis zu den Vogesen und den Schweizer Alpen.

Auf der Schwarzwald-Hochstraße zurück nach Baden-Baden, dem Heilbad von internationalem Ruf. Die heißen Quellen von *Aquae Aureliae* wurden bereits im 1. Jh. n. Chr. von den Römern genutzt. Die radioaktiven Kochsalz-Thermen haben Temperaturen bis 69° C und schütten täglich mehr als 800.000 l für Bade-, Trink- und Inhalationskuren aus. Seit dem 15. Jh. Sitz der Markgraf-schaft Baden, verlegte Markgraf Ludwig Wilhelm (der Türkenlouis) 1705 die Residenz von Baden-Baden nach Rastatt. Im dortigen Schloß, 1697 bis 1705 vom italienischen Baumeister Rossi im Versailler Stil erbaut, befindet sich das Wehrgeschichtliche Museum sowie eine Erinnerungsstätte für die Freiheitsbewegungen in der deutschen Geschichte.

principale de la région de Windeck. En 1387 le comte Wolf von Eberstein vendit la partie de la ville située au nord du Bühlot au margrave de Bade. Ainsi Bühl devint territoire de Bade et de Windeckisch par moitié. Chacun avait sa propre administration jusqu'en 1860. Nous continuons notre parcours par la vallée de Bühl jusqu'à la Bühler Höhe et jusqu'au lac Mummelsee (1029 m). Ce nom vient des ondins qui, selon la légende, habitaient dans le lac. Nous poursuivons par le chemin ouest de la Forêt Noire vers le Hornisgrinde, qui est avec 1164 m d'altitude le point culminant du nord de la Forêt Noire. De là, on peut jouir d'un panorama merveilleux sur le Vosges et les Alpes suisses.

Nous continuons par la Hochstraße vers Baden-Baden, station thermale de renommée internationale. Les sources d'eaux chaudes *Aquae Aureliae* étaient déjà utilisées par les romains au 1er siècle après J.C.. Les eaux thermales salées radioactives ont une température de 69 c et déversent plus de 800 000 litres d'eau par jour utilisés pour les cures (bains, boissons et inhalation). Depuis le 15e siècle, ce lieu est le domicile du margrave de Bade. En 1705 le margrave Ludwig Wilhelm (le Türkenlouis) transféra sa résidence de Baden-Baden à Rastatt. Dans la forteresse de Rastatt construite entre 1697 et 1705 dans le style de Versailles par le maître italien Rossi, se trouve le musée militaire ainsi qu'un lieu de souvenir du "mouvement de liberté" dans l'histoire de l'Allemagne.

and vineyards. First documented in 1050, this town belonged to the Zähringer Ortenau and shared its political fate. In 1808 it was elevated to a city by the Grand Duke of Baden, Karl Friedrich. Wellworth seeing is the Gothic chapel of St. Nikolaus with its round tower, built in 1300 out of round stones, the oldest building and landmark of the town. On the "wine road" of Baden we pass through the mediaeval village of Sasbachwalden to Bühl. On the square in front of today's town hall, stood the earlier Roman fort. Bühl is mentioned for the first time in 1283 as being the main residence of the Windecks. In 1387 Wolf von Eberstein sold the part of the village north of the River Bühlot to the Margrave of Baden; thus Bühl was divided into two halves, one belonging to Baden and the other to the Windecks and until 1860 each part had its own administration.

We now proceed through the Bühlertal Valley to the uplands of the Bühler Höhe and then on to the Lake Mummelsee (1029 m); the name originates from the mermaids who, according to the legend, lived in the lake. On the west route through the Black Forest to Hornisgrinde we see before us the highest mountain in the northern part of the Black Forest (1164 m); here, on a very clear day, we can enjoy a magnificent view far into the distant ranges of the Vosges and the Swiss Alps.

On the Black Forest Panorama Road back to Baden-Baden, we arrive at a spa of international fame. The hot springs of the *Aquae Aureliae* were used by the Romans as early as the 1st century AD. The thermal springs with their radioactive salt content have a temperature of 69° C and expel more than 800,000 litres daily for bathing, drinking and inhalation treatment. Since the 15th century it has been the residence of the Margrave of Baden; in 1705 Margrave Ludwig Wilhelm (the Türkenlouis) moved his residence from Baden-Baden to Rastatt. In the castle there, built from 1697 to 1705 by the Italian master architect Rossi in the style of Versailles, one can visit the history of warfare which is a place of remembrance for the freedom movements in German history.

Rastatt

Lahr

Offenburg

Achern

Bühl

Karlsruhe

Der Nordschwarzwald

Karlsruhe, die Eingangspforte zum Schwarzwald, wurde 1715 von Markgraf Karl-Wilhelm von Baden-Durlach gegründet. Die Residenz der badischen Markgrafen und späteren Großherzöge wurde fächerförmig angelegt. Der Marktplatz am Schnittpunkt von Kaiserstraße und Karl-Friedrich-Straße, der Hauptachse zwischen Schloßbezirk und Stadt, war als Triumphstraße für den Fürsten gedacht; in der Mitte des Platzes eine Pyramide aus rotem Sandstein, darunter die Gruft des Stadtgründers. Bis 1945 war Karlsruhe die Landeshauptstadt Badens, seither Verwaltungssitz des Regierungsbezirks Karlsruhe und der Region Mittlerer Oberrhein. Auf unserem Weg ins Albtal kommen wir durch Ettlingen, im frühen Mittelalter ein fränkischer Königshof. 1192 Stadtrecht durch die Staufer, kam Ettlingen 1219 an den badischen Markgrafen. Die gut erhaltene Altstadt wurde von Markgräfin Sibylia, der Witwe des Markgrafen Ludwig Wilhelm, erbaut.

Am Nordrand des Schwarzwaldes entlang geht die Fahrt nach Pforzheim; die Stadt am Zusammenfluß von Enz, Nagold und Würm wird als römische Siedlung *Portus* erwähnt. Das mittelalterliche Dorf erhielt im 11. Jh. Marktrecht, seit 1195 ist Pforzheim als Stadt bezeugt. Vom 13. Jh. bis 1565 residierten die Markgrafen von Baden auf dem Schloßberg; 1767 begründete Karl Friedrich von Baden die Pforzheimer Schmuck- und Uhrenindustrie. Die Stiftskirche St. Michael, Grablege des badischen Fürstenhauses, ist Pforzheims bedeutendstes Baudenkmal. Durch das von steilen, dichtbewaldeten Bergen umgebene Nagoldtal erreichen wir Calw; der Ort wird erstmals 1075 als *Calewa* genannt. Im Stadtzentrum malerische alte Fachwerkhäuser aus dem 17./18. Jh.; in der einstmals bedeutenden Handelsstadt wurde 1877 Hermann Hesse geboren. Der Weg nach Wildbad ist von hohen Schwarzwaldtannen gesäumt; der Luftkurort und Wintersportplatz am Fuß des Sommerberges, erstmals 1345 urkundlich genannt, ist seit früher Zeit auch als Thermalbad bekannt.

Le Nord de la Forêt Noir

La ville de Karlsruhe, porte d'entrée de la Forêt Noire, fut fondée en 1715 par le margrave Karl-Wilhelm von Baden-Durlach. La résidence des margraves de Bade, plus tard grands-ducs, fut construite en forme d'éventail. La place du marché, point de liaison entre la Kaiserstraße et la Karl-Friedrich Straße fut l'axe principal entre la forteresse et la ville. Il était prévu que les princes se présentent au peuple sur cette place au milieu de laquelle se trouve une pyramide de grès rouge. Le caveau du fondateur de la ville se trouve sous la pyramide. Jusqu'en 1945 Karlsruhe fut la capitale du Bade puis siège administratif de la circonscription de Karlsruhe et de la région Mittlerer Oberrhein. Nous passons par Ettingen, qui fut au Moyen Âge une cour royale franque, pour arriver dans la vallée de Álb. Ettlingen reçut de la dynastie des Staufen le statut de ville en 1192 et passa aux mains du margrave de Bade en 1219. La vieille ville, encore bien conservée, fut construite par la margravine Sibylia, veuve du margrave Ludwig Wilhelm.

En longeant le nord de la Forêt Noire, on arrive à Pforzheim. Cette ville située au confluent de l'Enz, du Nagold et du Würm fut mentionnée comme colonie romaine sous le nom de *Portus*. Ce village médiéval reçut le droit de tenir marché au 11e siècle et devint une ville en 1195. Les margraves de Bade résidèrent du 13 e siècle à l'an 1565 sur le Schloßberg. Karl Friedrich von Baden lança en 1767 l'industrie du bijoux et de l'horlogerie à Pforzheim. L'église St Michael, caveau de la famille des princes de Bade, est l'édifice le plus marquant de Pforzheim. En passant par les montagnes raides et boisées entourant la vallée de Nagold, nous arrivons à Calw. Ce lieu est citée pour la première fois en 1075 sous le nom de *Calewa*. Le centre de la ville se compose de pittoresques maisons à colombages datant du 17 et 18e siècle. Hermann Hesse vit le jour en 1877 dans ce village qui fut un temps une plaque tournante commerciale importante. Le chemin, en direction de Wildbad, est bordé de très hauts sapins. Ce lieu de cure et de sports d'hiver au pied

The North Black Forest

Karlsruhe, the gateway to the Black Forest, was founded in 1715 by Margrave Karl-Wilhelm von Baden-Durlach. The residence of the margraves of Baden and the later grand dukes was laid out with streets radiating from the palace. The market place at the point where the Kaiserstrasse and Karl-Friedrich-Strasse intersect, forms the main axis between the palace grounds and the town, and was envisaged as a street of triumph for the prince; in the middle of the square one can see a pyramid of red sandstone, and underneath it, lies the tomb of the town founder. Until 1945 Karlsruhe was the capital of the "Land" of Baden and has since been the seat of administration of the provincial administrative district of Karlsruhe and the region of the Central Upper Rhine. On our way to the Albtal Valley we drive through Ettlingen, a Franconian settlement in the early Middle Ages. Ettlingen was granted the freedom of the city in 1192 by the Staufer, and in 1219 it came under the rule of the Margrave of Baden. The well-preserved old part of the town was built by Sibylia, the widow of the Margrave Ludwig Wilhelm.

Our journey proceeds along the northern periphery of the Black Forest to Pforzheim; the town on the confluence of the Enz, Nagold and Würm is mentioned as the Roman settlement of *Portus*. The mediaeval village was granted the privilege of holding a market in the 11th century and from 1195, Pforzheim had the status of a "city". From the 13th century to 1565 the Margrave of Baden resided in the Schlossberg; in 1767 Karl Friedrich von Baden founded Pforzheim's jewellery and clock industry. The church of St. Michael, burial place of the princes of Baden, is Pforzheim's most significant monumental building. Passing through the Nagold Valley surrounded by its steep, densely forested mountain slopes we reach Calw; this town is first documented in 1075 as *Calewa*. In the town centre, picturesque half-timbered houses date back to the 17th and 18th centuries; this place was once a very significant trading town

Über Enzklösterle nach Nagold, zur Zeit Karls des Großen Sitz der Gaugrafen. Stadtkern mit mittelalterlichem Grundriß, schönen Fachwerkhäusern und Brunnen, die vom *Alten Turm* überragt werden. Remigiuskirche mit wertvollen Freskomalereien (um 1300); Hohennagold (um 1200), ist eine der größten Burgruinen im Nordschwarzwald. Durch endlose Tannenwälder kommen wir nach Freudenstadt, bekannt wegen des quadratischen, von Arkadengängen umsäumten Marktplatzes. Stadtgründung 1599 durch Herzog Friedrich I. von Württemberg. 1632 wurde die Stadt durch ein Großfeuer fast völlig vernichtet; erhalten blieb die rechtwinklig angelegte Stadtkirche von 1601. Sie birgt u.a. einen Taufstein aus dem 12. Jh. mit Tierreliefbildern, vermutlich aus dem Kloster Alpirsbach. Diese alte Klosterstadt an der oberen Kinzig ist ein besonders sehenswerter Ort. Die Münsterkirche, ehemalige Benediktiner-Klosterkirche, eine romanische, dreischiffige Säulenbasilika, erbaut 1099, ist eines der am besten erhaltenen Beispiele cluniazensischer Reformarchitektur, mit gotischem Chor und Kreuzgang; Säkularisation 1807, verbunden mit der Aufhebung sämtlicher Rechte und Besitzungen, die Alpirsbach in 297 Orten besaß.

Unser nächstes Ziel ist Schramberg, eingebettet in fünf Täler und von drei Burgruinen überragt. Ruine Falkenstein, die älteste der drei Burgen, war 1030 Zufluchtsort des aufständischen Herzog Ernst ll. von Schwaben. Hohenschramberg, eine der größten Burganlagen im süddeutschen Raum, wurde 1459 von Hans von Rechberg, einem gefürchteten Raubritter, erbaut. Dem Lauf der Kinzig folgend, kommen wir nach Wolfach; der

de la Sommerberg remonte à l'an 1345 et est connu depuis longtemps comme station thermale.

Par Enzklösterle jusqu'à Nagold qui fut le siège des comtes de la région à l'époque de Charlemagne: le noyau de la ville est en tracé médiéval avec de superbes maisons à colombages et des fontaines, le tout surmonté par la *Ancienne tour*. L'église Remigius renferme des fresques murales précieuses datant environ de l'an 1300. La forteresse de Hohennagold (vers 1200) est une des plus importantes ruines du nord de la Forêt Noire. Nous arrivons à Freudenstadt après avoir traversé d'épaisses forêts de sapins. Cette ville est connue pour sa fameuse place du marché à la forme carré entourée d'arcades. Freudenstadt fut fondée en 1599 par le duc Friedrich I von Württemberg. La ville fut incendiée en 1632 et presque entièrement détruite. Il reste aujourd'hui l'église rectangulaire datant de 1601. Elle abrite, entre autres, des fonds baptismaux datant du 12 e siècle avec des bas reliefs représentants des animaux. On suppose qu'ils proviennent du couvent d'Alpirsbach. Cette ancienne ville monastique vaut sans aucun doute le détour. La cathédrale romane, ancienne église conventuelle bénédictine, à trois nefs soutenus par des piliers fut édifiée en 1099. Elle est une des bâtisses les mieux conservée de la réforme architecturale de Cluny et possède un coeur gothique ainsi qu'un cloître. Il fut sécularisé en 1807 et perdit tous ses droits et ses possessions que le couvent d'Alpirsbach comptait dans 297 lieux.

Notre prochaine étape est Schramberg, encastrée dans 5 vallées et surmontée de trois ruines de forteresse. Les ruines de la forteresse de Falkenstein, le plus ancien des trois, fut lieu de refuge en 1030 du duc Ernst II von Schwaben. La forteresse de Hohenschramberg, une des plus grandes du sud de l'Allemagne, fut construite en 1459 par Hans von Rechberg, un dangereux chevalier, pilleur de son état. En longeant le fleuve Kinzig, nous arrivons à Wolfach. Ce lieu fut fondé au 13 e siècle par le comte Friedrich von Fürstenberg. L'histoire de Zell am Harmersbach, la plus petite ville impériale, prend son origi-

and also the birthplace of Hermann Hesse in 1877. The route to Wildbad is lined with high Black Forest fir-trees; the climatic health and winter sports resort at the foot of the Sommerberg, first documented in 1345, was also known in earlier times as a thermal spa.

Through Enzklösterle we proceed to Nagold, which at the time of Charlemagne was the residence of the counts. The town centre has a mediaeval layout, with beautiful half-timbered houses and a fountain, with the *Alter Turm* majestically towering behind, and the Remigius church with its precious fresco paintings, dating back to about 1300. Hohennagold, built around 1200, is one of the largest castle ruins in the northern part of the Black Forest. Passing through seemingly endless fir-woods we at last come to Freudenstadt, well-known for its quadratic market-place surrounded by arcades. The town was founded in 1599 by the duke, Friedrich I von Württemberg. In 1632, the town was almost completely destroyed by a large fire; the town church built in 1601 with its rectangular form managed to survived it, however. Amongst other things, it houses a baptismal font from the 12th century with animal sculptures, probably from the monastery of Alpirsbach.

This old monastery on the Upper Kinzig is particularly worth a visit. The Münsterkirche - formerly a Benedictine monastery - is a Romanesque basilica. Built in 1099, it is one of the best-preserved examples of Cluny architecture with Gothic chancel and cloister; secularisation took place in 1807 and was combined with the cancellation of all the rights, which Alpirsbach had had in 297 locations. Our next destination is Schramberg, nestling in 5 valleys underneath three towering castle ruins. Falkenstein, the oldest of the three, was a place of refuge for the insurgent duke, Ernst II von Schwaben. Hohenschramberg, one of the largest fortifications in southern Germany, was built in 1459 by Hans von Rechberg, a robber-knight who was greatly feared.

Ort wurde im 13.Jh. vom Grafen Friedrich von Fürstenberg gegründet. Die Geschichte von Zell am Harmersbach, der kleinsten aller Reichsstädte, reicht zurück bis in das Jahr 1139; Wehrgänge, Mauern und Türme von einstigen Befestigungen sind Zeugen aus damaligen Zeiten.

Wir fahren ins Gutachtal, bekannt durch seine farbenfrohen Trachten und Heimat des Bollenhutes. *Das Freilichtmuseum Vogtsbauernhof*, u.a. mit dem Gutacher Eindachhof von 1570, dem Hippenseppenhof von 1599, und dem Libgeding von 1652, ist eine einzigartige Dokumentation Schwarzwälder Hausgeschichte. In Triberg endet die Fahrt durch den nördlichen Schwarzwald. Die Stadt in den tief eingeschnittenen Tälern von Gutach, Prisenbach, Schonach und Nußbach ist bekannt durch Deutschlands höchste Wasserfälle; sie stürzen aus einer Höhe von 163 m in sieben Stufen über Granitgestein herab.

ne dans les années 1139. Le chemin de ronde, les murs, les tours, vestiges de la fortification, témoignent de l'ancien temps.

Nous poursuivons vers la vallée de Gutach connue par ses costumes folkloriques colorés et ses coiffes traditionnelles avec des pompons. Le village reconstituée de Vogtsbauernhof, avec le Gutacher Eindachhof datant de 1570, le Hippenseppenhof datant de 1599 et le Libgeding datant de 1652 sont une documentation unique sur l'histoire des constructions dans la Forêt Noire. Nous terminons notre parcours à Triberg en passant par le nord de la Forêt Noire. Cette ville, encastrée entre les vallées de Gutach, Prisenbach, Schonach et Nußbach est un lieu d'attraction pour ses fameuses chutes d'eau (les plus hautes en Allemagne) d'une hauteur de 163 m s'étalant sur 7 niveaux en granite.

Proceeding along the course of the River Kinzig we arrive at Wolfach. This location was founded in the 13th century by the count, Friedrich von Fürstenberg. The history of Zell on the River Harmersbach, the smallest of all the imperial cities, dates back to the year 1139; walls and towers of earlier fortresses are witnesses of these bygone times. We continue our journey into the Gutachtal Valley, known for its colourful national costumes and traditional Bollenhut. The open-air museum of Vogtsbauernhof is a unique documentation of the houses in the history of the Black Forest. The journey through the northern part of the Black Forest ends at Triberg. This town in the deeply cut valleys of the Gutach, Prisenbach, Schonach and Nussbach rivers is noted for Germany's highest waterfalls; they plunge down onto granite stone at 7 different levels from a height of 163 m.

Bad Herrenalb

Pforzheim

38

Nagold

Freudenstadt

Schramberg

Schiltach

Zell am Harmersbach

Hausach

45

Der Hochschwarzwald

Am östlichen Eingang des Schwarzwaldes liegt die tausendjährige Stadt Villingen; der Ort mit dem gut erhaltenen

Villingen

mittelalterlichen Stadtbild wird 817 erstmals urkundlich als *ad Filingas* genannt und 1120 nach dem Zähringer Plan (Achsenkreuz und ovaler Grundriß) ausgebaut. Die Stadt gehörte von 1326 bis 1802 zu Österreich, ab 1806 zu Baden. Seit 1972 ist Villingen mit der Nachbargemeinde Schwenningen zu einer Stadt verbunden. Von hier nach Bad Dürrheim, dem höchstgelegenen Solbad Europas, ist es nicht weit; der heilklimatische Kurort wurde bereits in der Karolingerzeit urkundlich erwähnt. In Donaueschingen liegt im Schatten des 1772 errichteten Fürstlichen Schlosses die Donauquelle; eine Marmorgruppe mit der Inschrift *"Über dem Meere 678 m, bis zum Meere 2840 km"* weist der jungen Donau den Weg nach Osten.

La Forêt Noire centrale

A l'entrée est de la Forêt Noire se trouve la ville millénaire de Villingen. Cette ville médiévale bien conservée fut citée pour la première fois en 817 sous le nom de *ad Filingas* et fut achevée selon le modèle des Zähringen (i.e. plan ovale et système de coordonnées). La ville était sous l'emprise de l'Autriche de 1326 à 1802 et devint territoire de Bade en 1806. Villingen et Schwenningen forment depuis 1972 une même ville. La route n'est pas longue pour rejoindre Bad Dürrheim, la station thermale d'eaux salines la plus élevée d'Europe. Cette station thermale au climat curatif remonte au temps des carolingiens. On peut voir à Donaueschingen, dans l'ombre du château des princes édifié en 1772, la Donauquelle (la source du Danube). Un monument en marbre avec l'inscription *"678 m au dessus de la mer, 2840 km jusqu'à la mer"* indique au jeune Danube le chemin vers l'est.

The Upper Black Forest

At the gateway to the Black Forest on the east side, lies the one thousand-year-old town of Villingen; this place with its well-preserved mediaeval townscape is first documented in 817 under the name of *ad Filingas* and in 1120 was enlarged using the Zähringer plan (two intersecting axes and an oval plan view). The town belonged to Austria from 1326 to 1802, and to Baden from 1806. In 1972 Villingen merged with its neighbour, Schwenningen, to form the one town, Villingen-Schwenningen. It is no longer very far to Bad Dürrheim, the highest situated salt spa in Europe. The climatic health resort was already mentioned in documents going back to the Carolingian times. In Donaueschingen the source of the Danube lies in the shadow of the Fürstliche Schloß built in 1772; a group of marble rocks with the inscription *"678 m above sea-level, 2840 km to the sea"* guides the newly-born Danube on its journey towards the east.

In the upper Bregtal Valley, surrounded by high fir-tree forest, lies Furtwangen with the greatest historical collection of clocks in the Deutsche Uhrenmuseum. It shows among other items, a 25 cwt astronomic clock, which shows the time in hours for a number of the largest cities in the world, the seasons, day, month, year, position of the sun and lunar phases. Taking the pass road we reach St. Peter; this climatic health resort originated from a former

Im oberen Bregtal, von Tannenhöhen umschlossen, liegt Furtwangen mit der größten historischen Uhrensammlung im Deutschen Uhrenmuseum. Sie zeigt u. a. eine 25 Zentner schwere astronomische Uhr, welche die Stundenzeit einer Reihe von Weltstädten, die Jahreszeiten, Tag, Monat, Jahr, Sonnenstand und Mondphasen wiedergibt. Über die Paßstraße erreichen wir St. Peter; der Höhenluftkurort ist aus einer 1093 gegründeten Benediktinerabtei hervorgegangen, die 1806 säkularisiert wurde. Ehem. Klosterkirche, von Peter Thumb aus Vorarlberg, 1724-1727 im Barockstil für den Bendiktinerorden erbaut. Im Nachbarort St. Märgen ist die ehem. Klosterkirche St. Maria des 1118 gegründeten Augustinerklosters Mariazell auf dem Schwarzwald eine vielbesuchte Wallfahrtsstätte. Die Barockkirche mit ihren beiden Türmen stammt von 1723.

Die Schwarzwald-Panoramastraße führt über Hinterzarten zum Titisee; der größte Natursee deutscher Mittelgebirge entstand während der letzten Eiszeit. An seinem Westufer liegt der vielbesuchte Ort Titisee, der mit Neustadt zu einer Kurstadt vereinigt wurde. Dort beginnt das Naturschutzgebiet der Wutachschlucht, eines der eindrucksvollsten Täler des südlichen Schwarzwalds. Bis zum Ausgang der letzten Eiszeit war die Wutach als Feldberg-Donau die eigentliche Donauquelle. Später änderte der Fluß seinen Lauf Richtung Rhein und infolge der Erosionskraft entstand ein tiefeingeschnittenes, schluchtartiges Tal, in dem auf kürzester Strecke alle geologischen Formationen vom Jura bis zum kristallinen Grundgebirge angeschnitten wurden. In Verbindung mit besonderen klimatischen Verhältnissen konnte sich in der Wutachschlucht eine einzigartige Tier- und Pflanzenwelt entwickeln.

Sur les hauteurs de la vallée de Breg, se trouve la ville de Furtwangen entourée de sapins Elle renferme un musée de l'horloge contenant la plus grande collection d'horloges. On peut y admirer une horloge atomique de 1.250 kg qui donnent les heures de certaines grandes ville dans le monde, ainsi que les années, les jours, les mois, la position du soleil et les phases de la lune. Nous atteignons St. Peter en passant par la route du col. Ce lieu de cure situé en altitude prend ses origines dans l'abbaye bénédictine fondée en 1093 et sécularisée en 1806. L'ancienne église conventuelle de style baroque fut édifiée par Peter Thumb (1724-1727) sur l'ordre des bénédictins. Dans le village voisin de St. Märgen, l'ancienne église Ste. Maria du couvent augustinien Mariazell sur le Schwarzwald fondé en 1118 est un lieu de pèlerinage fréquenté. L'église baroque avec ses deux tours remonte à l'an 1723.

La route panoramique nous mène vers le Titisee en passant par Hinterzarten. Ce lac naturel formé à la dernière ère glaciaire est le plus grand des montagnes moyennes allemandes. Sur la rive ouest se trouve le village très visité de Titisee qui forme avec Neustadt une station thermale. Là se dessine le site protégé de Wutachschlucht, une des vallées les plus impressionnantes du sud de la Forêt Noire. Jusqu'à la fin de la dernière ère glaciaire, la Wutach porta le nom de Feldberg-Donau et fut la véritable source du Danube. Plus tard, le fleuve changea son orientation vers le Rhin. L'érosion forma des gorges profondes ou on peut voir des formations géologiques sur des petites distances allants du Jura aux petits massifs cristallins. A la faveur d'un climat particulier, une faune et une flore sans pareil a pu se développé dans les gorges de Wutach.

Le lac naturel Schluchsee, ancien bassin glaciaire, entouré de montagnes boisées fut barré d'un grand mur afin d'élevér le niveau de l'eau de 29 m . Près des bords du lac se trouve la station thermale de Schluchsee avec les communes de Aha et Seebrugg. Notre route nous mène à St. Blasien. La principale attraction de cette ville est la célèbre église conventuelle dont le dôme est un des plus hauts d'Europe.

Benedictine abbey founded in 1093 and was secularized in 1806. The former church was built in Baroque style by Peter Thumb from Vorarlberg from 1724-1727 for the Benedictine orders. In the neighbouring town of St. Märgen is the former church of St. Maria of the Augustine monastery Mariazell in the Black Forest, which was founded in 1118 and is a much-frequented place of pilgrimage. The Baroque church with its two towers dates back to 1723.

The Black Forest Panorama Road passes through Hinterzarten to Lake Titisee - the largest natural lake in the German mountains which was formed during the last Ice Age. On its western shore lies the popular town of Titisee, which merged with Neustadt to form a health spa town. Here, the Wutachschlucht gorge begins; it is a national reserve and one of the most impressive valleys of the southern Black Forest. Until the departure of the last Ice Age, the Wutach was in fact the source of the Danube. The river changed its course later on in the direction of the Rhine and as a result of the erosional force, a deeply cutting gorge-like valley was formed in which over the shortest stretch, all the geological formations were exposed. Influenced by particular climatic conditions, a unique flora and fauna was able to develop in the Wutachschlucht.

The natural Lake Schluchsee, a former glacier bed surrounded by forested mountains, was dammed by a huge wall of approx. 29 m. Directly on the lake lies the

Der natürliche Schluchsee, ein von bewaldeten Bergen umrahmtes ehemaliges Gletscherbecken, wurde durch eine mächtige Mauer um 29 m gestaut. Unmittelbar am See liegt der Kurort Schluchsee mit den Ortsteilen Aha und Seebrugg. Die Fahrt führt nach St. Blasien; Wahrzeichen des Ortes ist die bekannte Klosterkirche mit einer der höchsten Kuppeln Europas. Mönche des Benediktinerordens gründeten im 9. Jh. das Kloster; seit dem 11. Jh. ist St. Blasien als Stätte der Gelehrsamkeit berühmt geworden. 1783 wurde an Stelle des durch Brand zerstörten romanischen Münsters der Dom des hl. Blasius erbaut. Bei Waldshut kommen wir an den Rhein; der Ort wurde vom Grafen Albrecht IV. von Habsburg gegründet und 1259 als Waldishute erstmals urkundlich erwähnt. Die Schwesterstadt Tiengen, ehemaliger Mittelpunkt des Klettgaus, wurde im Jahre 858 von dem Alemannen gegründet.

Wir fahren rheinabwärts nach Bad Säckingen, bekannt durch Viktor von Scheffels Dichtung Der Trompeter von Säckingen. Das Kloster St. Fridolin soll um 700 gegründet worden sein; von der alten hölzernen Rheinbrücke, die zum Schweizer Ufer führt, schöner Blick auf Münster und Stadt. Am Eingang zum Wiesental liegt Schopfheim; das Stadtbild wird von der Pfarrkirche St. Michael und alten Bürgerhäusern bestimmt. In Todtnau im oberen Wiesental beginnt der Aufstieg zum Feldberg; das Städtchen gilt als Heimat des deutschen Wintersports. Todtnauberg, 1288 als *Tottenowe* genannt, war im Mittelalter bekannt für seinen Silberbergbau. Unsere Schwarzwaldreise endet auf dem Feldberg; drei Kuppen ragen aus dem Weideland: der Höchsten (1493 m), der Baldenwegerbuck (1461 m) und der Seebuck (1448 m). Südlich des Zeigersattels erhebt sich der zweithöchste Gipfel des Schwarzwalds, das Herzogenhorn (1415 m). Die Rundsicht vom Feldberg ist beeindruckend: Im Norden endlose Schwarzwaldhöhen, im Osten die Schwäbische Alb und die Hegau-Vulkane, im Westen jenseits der Rheinebene die langgestreckten Vogesen, und im Süden die mächtige Alpenkette.

Les moines de l'ordre des bénédictins fondèrent ce couvent au 9e siècle. Depuis le 11e siècle, St Basien est devenu un lieu célèbre pour ses recherches savantes. En 1783, à l'emplacement de la cathédrale romane détruite par le feu, fut construit la cathédrale St Blasius. Nous arrivons vers le Rhin en passant par Waldshut. Ce lieu, cité pour la première fois en 1259 sous le nom de Waldishute, fut fondé par le comte Albrecht IV von Habsburg. La ville jumelle de Tiengen, ancienne artère principale de la région de Klettgau, fut fondée en 858 par les alamans.

Nous longeons le Rhin en amont en direction de Bad Säckingen rendu célèbre par le poème "Trompeter von Säckingen" du poète Viktor von Scheffels. Le couvent St Fridolin aurait été fondé vers 700. Du haut du pont en bois donnant sur le Rhin et menant au rivage suisse, on bénéficie d'une vue superbe sur la cathédrale et sa ville. Au début de la vallée Wiesen se trouve Schopfheim. L'église paroissiale St Michael et les vieilles maisons bourgeoises sont les éléments distinctifs de la ville. A Todtnau sur les flans de la vallée Wiesen commence l'ascension vers le Feldberg. Les sports d'hiver prirent leurs origines en Allemagne dans cette petite ville. Todtnauberg évoqué sous le nom de *Tottenowe* en 1288 fut célèbre au Moyen Âge pour ses mines d'argent. Notre parcours se termine sur le Feldberg. Trois sommets dominent les prés: le Höchsten (1493m), le Baldenwegerbuck (1461m) et le Seebuck (1448 m). Au sud du Zeigersattels s'élève le deuxième sommet de la Forêt Noire, le Herzogenhorn (1415 m). La vue circulaire au sommet du Feldberg est impressionnante: au nord, des hautes forêts sans fin, à l'est la Schwäbische Alb et les volcans de Hegau, à l'ouest les Vosges au delà de la vallée du Rhin et au sud l'impressionnante chaîne des Alpes.

health spa of Lake Schluchsee with its town districts of Aha and Seebrugg. Our journey takes us on to St. Blasien. The landmark of this town is the well-known monastic church with one of the highest domes in Europe. Monks of the Benedictine order founded the monastery in the 9th century; since the 11th century, St. Blasien has been famous as a centre of learning. In 1783 the cathedral of St. Blasius was built in the place of the Romanesque cathedral which was destroyed by fire. At Waldshut we reach the Rhine; this place was founded by Albrecht IV von Habsburg and in 1259 was first documented as Waldishute. The sister town of Tiengen, the oldest location in the Klettgau district, was founded in 858 by the Alamanni.

We now journey down the Rhine to Bad Säckingen, made known by Viktor von Scheffel's poetry The trumpeter of Säckingen. The cloister of St. Fridolin is said to have been founded in 700; there is a beautiful view of the cathedral and the town from the old wooden Rhine bridge crossing over to the Swiss bank. At the commencement of the Wiesental Valley lies Schopfheim. Its townscape is dominated by the church of St. Michael and the old residential buildings. In Todtnau in the valley of the upper Wiesental the ascent to the Feldberg mountain begins; this little town is said to be the "home" of German winter sports. The Todtnauberg mountain, called *Tottenowe* in 1288, was known in the Middle Ages for its silver mines. Our journey through the Black Forest ends at the Feldberg; three crests rise from the meadow landscape: the Höchsten (1493 m), the Baldenwegerbuck (1461 m) and the Seebuck (1448 m). South of the Zeigersattel lies the second highest peak of the Black Forest, the Herzogenhorn (1415 m). The surrounding panorama from the Feldberg mountain is most impressive - in the north there are the endless Black Forest uplands, in the east the Swabian Alb and vulcanic landscape of the Hegau region, in the west beyond the Rhine plain, the longstretched Vosges mountains and in the south, the mighty Alpine range.

Donauquelle

St. Märgen

Titisee-Neustadt

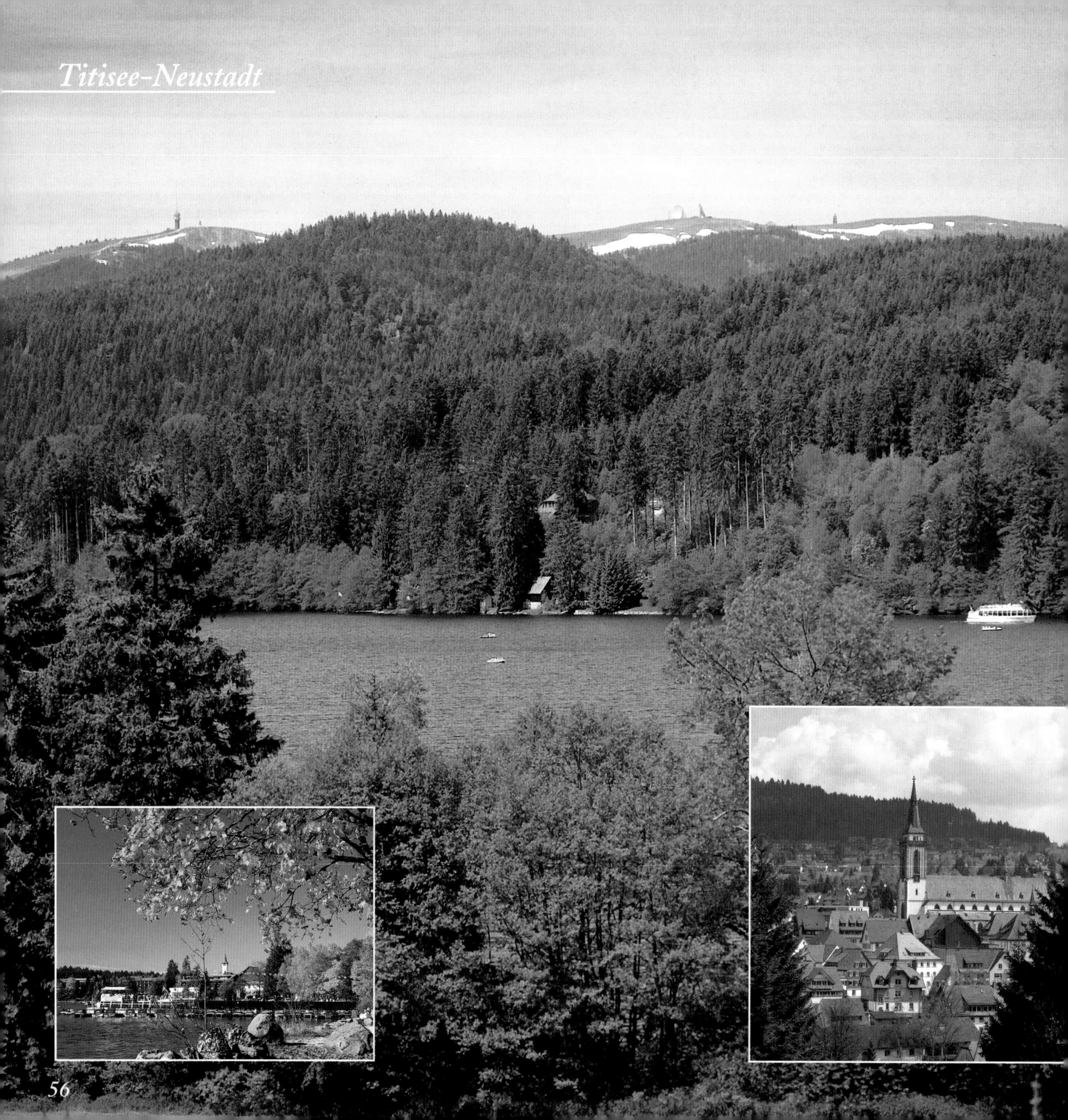

Wutachschlucht

Tiengen

Waldshut

Schopfheim

Todtnau

Blick vom Feldberg

Verkehrsamt Glottertal	7, 20, 21
Landesbildstelle Baden, Karlsruhe	8, 9 r., 14, 22, 27 u., 31, 32
	33, 34, 38, 42, 46, 51, 56,
	59, 64, 70, 72
	Titelbild-Schutzumschlag
Gebietsgemeinschaft Nördlicher	11, 41 u.
Schwarzwald	
Hugo Mühlsigel, Mühlheim/Baden	6, 16 u.r., 17, 19 u.
Karl-Heinz Raach, Merzhausen	12 o., 21u., 25, 33 o.,
	61 o.
Kur und Bäderverwaltung	16 u.l.
Bad Krozingen	
Kur & Touristik Badenweiler	17 u.
Tourist-Information Emmendingen	19 o.
HB-Verlag, Hamburg	20 u.
Tourist-Information Lahr	26
Zentrale Zimmervermittlung	27
Mittlerer Schwarzwald	
Kurverwaltung Sasbachwalden	30 o.
Stadtinformation Calw	36, 39
Tourismusbüro Bad Herrenalb	37
Tourist-Information Alpirsbach	41
Tourist-Information Triberg	46`u.m., 47
Tourist-Service Villingen-	49
Schwenningen	
Kur & Touristik Lenzkirch	50 l., 57
Tourist-Information Feldberg	50 r, 70 u.,71 u.
Karl-Friedrich Trenkle, Furtwangen	53
Kur- undVerkehrsamt-Furtwangen	53 o
Gottfried Richter, St. Peter	54
Tourist-Information Hinterzarten	55
Tourist-Information Titisee-Neustadt	56 u.l.
Tourist-Information Waldshut-Tiengen	62
Kurverwaltung Bad Säckingen	63
Kurverwaltung Todtnauberg	65
Alle anderen Bert Teklenborg	

Vor- und Nachsatzblatt: Badische Landes-Bibliothek Karlsruhe

NIGRA SYLVA X

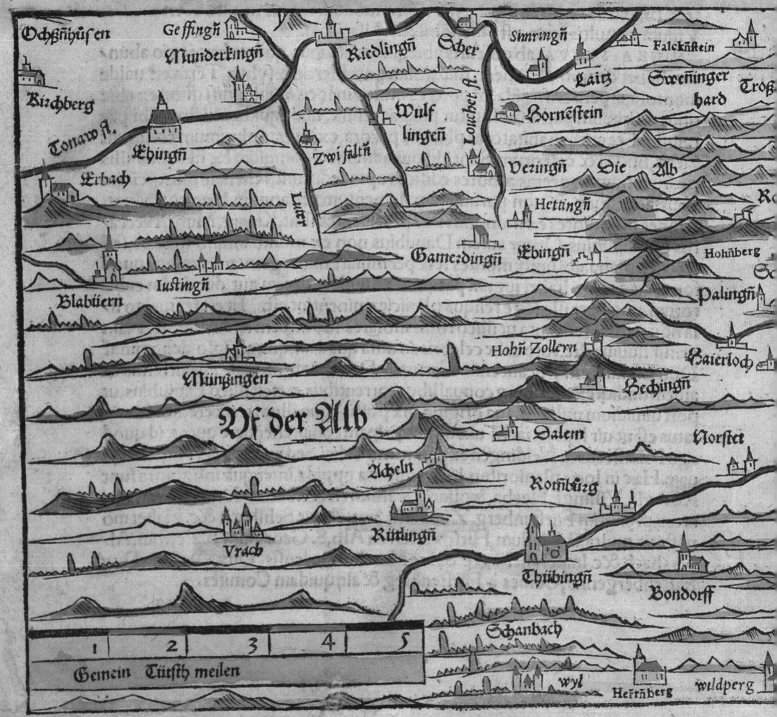

Ochßnhüsen · Geffingñ · Munderkingñ · Riedlingñ · Scher · Simringñ · Falckñstein · Kirchberg · Laitz · Sweñinger hard · Trôß · Tonaw fl. · Ebingñ · Wulf lingen · Loucbei fl. · Hornestein · Veringñ · Die · Alb · Erbach · Zwi faltñ · Hettingñ · Ro · Luter · Gamerdingñ · Ebingñ · Hohäberg · Blabüern · Iustingñ · Palingñ · Hohñ Zollern · Baierloch · Münßingen · Hechingñ · Vf der Alb · Salem · Norstet · Acheln · Romburg · Rütlingñ · Vrach · Thübingñ · Bondorff · Schanbach · wyl · Herrñberg · wildperg

| | 1 | 2 | 3 | 4 | 5 |

Gemein Tütsch meilen